Que tu as de grandes oreilles, Papou !

C'est pour mieux t'entendre,

dit la grosse voix
sous la couette.

Que tu as de grands yeux, Papou !

C'est pour mieux te voir,

dit la grosse voix
sous la couette.

Que tu as un grand nez, Papou !

C'est pour mieux te sentir,

dit la grosse voix
sous la couette.

Que tu as de **grandes** mains, Papou !

C'est pour mieux t'attraper,

dit la grosse voix
sous la couette.

Que tu as une **grande** bouche,

Papou !

C'est pour mieux t'embrasser, mon bébé !

dit alors Papou.